CB040266

A
PALAVRA
ALGO

LUCI COLLIN

A PALAVRA ALGO

Poesia
ILUMINURAS

Capa e projeto gráfico
Eder Cardoso / Iluminuras

Revisão
Iluminuras

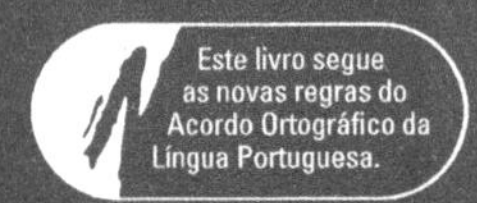

CIP-BRASIL. CATALOGAÇÃO NA PUBLICAÇÃO
SINDICATO NACIONAL DOS EDITORES DE LIVROS, RJ
C673p

Collin, Luci
A palavra algo / Luci Collin. - 1. ed. - São Paulo : Iluminuras, 2016.
il. ; 19 cm.

ISBN: 978-85-7321-527-4

1. Poesia brasileira. I. Título.

16-35694 CDD: 869.1
CDU: 821.134.3(81)-1

2020
EDITORA ILUMINURAS LTDA.
Rua Inácio Pereira da Rocha, 389 - 05432-011
São Paulo - SP - Brasil
Tel./Fax: 55 11 3031-6161
iluminuras@iluminuras.com.br
www.iluminuras.com.br

SUMÁRIO

À Kusum Verônica

Ao Gary

DEVERAS

o poeta finge
e enquanto isso
cigarras estouram
pontes caem
azaleias claudicam
édipos ressonam
vacinas vencem
a bolsa quebra e
o poeta finge
e enquanto isso
vagalhões explodem
o pão adoece
astros desviam-se
manadas inteiras se perdem
a noite range
o vento derruba ninhos e
o poeta finge
e enquanto isso
vozes racham
veias entopem
galeões afundam
medeias abatem crias
turvam-se as corredeiras
o sapato aperta e
o poeta finge
que as mãos cheias de súbitos
não são as suas

ISSO POSTO

impecável
como uma aurora instala um dia
como o botão abriga a rosa aberta

implícito
como a lua define a decisão da vazante
e como o sol define a indulgência da lua

infinito
como o entusiasmo dessa tempestade
e como o pardal abrange o telheiro

algo
como o primeiro olhar da mãe pro filho
e como o último sorriso de um pai

como a impressão da palavra
            algo

  flama na folha de rosto

REPERTÓRIO

De todos os discursos esse talvez
o mais movediço o mais plástico
memória de traças instruídas no fugir aos vértices
insólito degredo da sobretarde
curso da pedra que suspende o rio

o que veio no espasmo
e de chofre
o que veio no escuro anterior ao osso
e ao objetivo
o que veio cordeiro

esse talvez o mais desprotegido
e o mais imune
voo antigo de ave sem imediatos
no risco de surpresas e serpentes
encafuadas
no berço   no ninho   no cisco

espreita e regozijo antecipado
e arcaico
um contraponto de cicios
uma urdidura de acertos
uma idealidade de absintos

de todos esse talvez o que mais
redunda   sobeja   remanesce

porque tem a amenidade do velho e
a agitação de um menino ao repetir
gestos que duplicam o pouso

um bater de asas naquela opulência
onda   pélago   presságio
de arcano e de sacramento
licitude de ofertório
retidão de adágio

de todos os esforços talvez esse
colhido hoje e virgem de abismos
embutido no arquejo
efígie de sopro longínquo
bisão íntegro

algo da beleza que pode ser
pulso
de todos os recursos esse talvez
o crédito do inapelável
ponto final.

HAVERES

I.

o cavalo único
que reaparece nesse aqui
é aquele que inaugurou-se o longínquo
e aquilo que pateia sobre uma relva de sigilos
que quando examinados de perto
são pontos de exclamação

o cavalo mais do que imediato
que vibra no destino das lonjuras
trama uma esparsa coreografia
que é seu discurso de casco
e informa tudo o que se diz
de olhos fechados
amplitude   redenção
e avesso
da geografia menor
e da espera

o cavalo que alimenta a lua
em mim   em ti
e que destempera as marés e os vermelhos
das moças   das veias   das cortinas
é um lírio apenas e um assobio
é ventríloquo dos sorrisos
e espantos tanto das montanhas

quanto das muralhas
e das milhas

o melhor pintor da aldeia
gargalhará para sempre porque
tentou flagrar a graça do visto
mas confundiu a imensidão dos escampados
com o som das patas
sobre tudo que é cristal

e a loucura é o mínimo preço
de se querer conjugar
o invisível

II.

o pássaro tido como exageros
conhecido dos reis e dos insones
de há muito alheou-se de asas
e de rumos
e ora diverte-se com a retidão das hipérboles
e leva no bico o porquê primeiro

pássaro absolvido e soberano
pratica o desábito da monta e das cifras
asperge voos e desejo de voos
por entre os olhos que expectam a bem-aventura

e a senhorinha persigna-se
e os narcisos se encabulam
e os bálsamos e os sândalos
ao som de risonhos chocalhos
se volatizam

o pássaro reza num curso intransitivo
e desimportam vãos
nas telhas   nas estátuas   nas bocas
porque construiu um alfabeto inédito
de palhas   de corantes   de areias
e nunca entenderão que ele é sempre
o mesmo pássaro
de miçangas
cuja luz cala a intenção
das feridas

III.

porque não há sinônimo para ele
este peixe daqui não participa dos enunciados

não tem ânsias nem dedos
e sua respiração jamais perturbou alfarrábios

não tem olhares nem mandíbula
e são parábolas suas asas de febre e de noite

com o ateísmo dos papéis em branco
ele se esconde por entre os cílios
os homens na cisma de conhecê-lo
forjam extravagantes registros sobre o que
não sabem
sobre o peixe e o cansaço do peixe
anônimo

as palavras dessas bocas aborrecidas
querem conformar o efêmero
peixe-nuvem -farol -unicórnio - gelo

são teatrais adjetivos
para o mistério que reaparece
nesse aqui

sem nem sê-lo

HOWCOOL

ele foi ali na esquina
eu fiquei à deriva
ela foi tomar um chopp
eu fiquei na janela
meu amor
foi ao cinema
eu aqui virando as cartas
ele foi até a praça
ela foi brincar com fogo
eu fiquei ali na rua
meu amor
não disse onde
ela foi regar as ondas
eu fiquei aqui na fila
foi pegar um touro a unha
eu fiquei regando frases
foi embaralhar as cartas
eu fiquei virando a página
foi ali valer a pena
foi ali pra comer fogo
eu fiquei pensando à beça
ele foi lançar os dados
ela diz que tudo passa
e
eu fiquei
eu fiquei
eu fiquei por isso mesmo

GRANDE FOME

essa maquiagem máscara
e as paródias que insinua
espantam as cirandas já escassas
e a pressa rega uma semente
sifilítica

essa reescritura diária
de um virtuosismo sinistro
dispõe as peças raquíticas
que nem se encaixam
que suam tanto que
evaporam

essa idade enredo
prístino desafio
como uma dança do ponteiro
e o desalme das coisas
não impede a areia
de escorrer imponderável
e a conta jamais se paga

esse ato para balé de gravetos
mãos de condessa em tosca mímica
tosse de lacaio que sufoca
desmontando sorrisos e ossos
são bem sucedida teia

de anos e brindes
resumem mensagens do imperador
de vestes de algas e
de portões fechados

essa fonte intensa
funda sua própria água-viva
e o coração não se acelera
o velho e o não velho se confundem
na invenção de uma armadura

olhar salgado olhar ameno
a vida que é isto
ou
triste

pítia com voz de pedra

lago feito de espaço

ARTIFÍCIO

enquanto tremulo
no meu desabrigo burlesco
a areia escorre e
leva você aos poucos

e eu na minha imprecisão
de métodos e jeitos
entre sopro e um coração inculto
penhoro as lembranças melhores
para reaver você
e a areia volta e
traz você aos poucos

quisera o benefício dos corpos juntos
o anátema dos metais misteriosos
quisera o seu riso sobre o meu
e o seu gozo sobre o meu inúmero

eu colho parcelas torrões excertos eternidades
ordeno as vicissitudes dos lençóis
e vinga o seu perfume na minha mobilidade

nos meus dedos prosperam seus girassóis
e eu tomo o seu corpo
para corrigir o tempo e sua ferocidade

porque o tempo é triste
de uma tristeza que só se vence
com aquele beijo nosso
indomesticável

com aquela delícia nossa
inamanhecível

USUFRUTO

é na falha é na navalha dessa guitarra
que se instala o melhor fôlego
é na batida que confunde o coro
que corrói a pose da estátua
é na gíria e nos pés quebrados
que se arraiga a melhor dança
e a graça do mosaico se restaura

é sem cartilha que a flor se elabora
é no próprio olho o pasmo
é no improviso que o *allegro* vocifera
e aquela figura no vitral balança
num riso de apascentar alcateias
é na voz que arranha e coagula
que se traga a insanidade da rotina

é na cremação da regra em mais que perfeito
que dobram os sinos
que as fragatas voltam
com o fim da tarde que arranca o que estiver
lá dentro   lá longe
e se concede a noite
artigo de fé

e o louco que rasga o escuro
com sua alegria alcoólica

é puro acalanto
que bate à porta
num prodígio de destemperar ouvidos
as mãos postas são anêmonas variando
na facilidade em se estar no mundo

IMORTALHA

fica tranquila, queridinha
todos os termos foram inventados
as janelas são transcendentes
teu endereço e tua identidade cintilam
bilhões de linhas te alcançam
trilhões de redes te protegem

queridinho, os aparatos
potencializam tuas reações
podes compartilhar teus gestos
através de novas pontes
estarás em vários lugares
ao mesmo tempo
e em nenhum
fica tranquilo

os diálogos estão garantidos
tudo é libertário
não há hierarquias
diluem-se os poderes
multiplicam-se os vínculos

mantém a tranquilidade,
tua alma interconectiva
não insultará os deuses
se roubares algo de fogo

não te prenderão em rochedo
— a ágora novíssima vai por dentro

queridinho/a
os abutres robóticos não bicam
não reavivam feridas
e seguem desinteressados
por teu fígado

CIVIDADE

Do alto do *skyscraper*
o anjo de paletó e bermuda
          pulou
     asas nem tendo

O plano era derreter-se
   ossos esfarelados
   na chuva que havia

Passantes relataram que declamara
     um poema   durante a queda
mas uma jurou que fora prece

Os doutos sentenciaram que
o corpo rescendia a um uso incorreto
                    da crase

Quando o homem que não voa
beijou o paralelepípedo
não se ouviu ruído: era leve

Pulsando no ar ficou   o som
do coração contra a calçada
o som   abafado pela chuva
que havia

SUSPENSÃO

das musas desalinhadas
nessa noite que nunca acaba
ouço a cantilena
ouço o gemido
da mãe que carrega seu filho
homem já

(que saberemos aqueles
cujos olhos
não enxergam de dia)

do movimento dos ponteiros
saem perguntas
que me arrastam para um claro-escuro
como fosse o velho espelho
do qual não se foge

o meu entreato é estridente
e a minha língua é provável
as palavras são a mesma neve
e sua potável brancura que respira
aquilo que toca ingenuamente
as franjas

aquilo que destila um firmamento
um olho congelado
um órgão retirado às pressas

minha falha é sibilante
é oceânico o aguardo
e é invisível a minha míngua

aquilo que remove a boca e o canto
e o resto
sou eu

CRÔNICA

afinadas as cordas
as assíduas moscas são solícitas
um foco vermelho estrebucha
sobre o regente cuja casaca é puída
mas ninguém notou ainda
é a cena
e a solista é jovem de além
nem trouxe partituras na mala
porque é pura proeza de improvisos
e tem nas veias fados e cinzas
de avós que sabiam tudo de cor
e aqui há ovação de sobra
(aplausos múltiplos
quando ela entra quando ela sai)
é diva modesta que nem ri
é diva séria que tem talvez um molar doendo
talvez estragado e apodrecente como as trompas
mas ninguém observou ainda
é a cena
esse invadir da sonolência e da inércia
no aconchego das pérolas laicas no pescoço
é quase que teoria quase que axioma
o céu foi esvaziado o chapéu idem
as escalas acomodam folhas secas
o divertimento é leve e escolhido a dedo
e nem se cogita perseguir o *leitmotiv*

o solo é um voo rasante
uivos são adiados porque aqui só moscas
(os ouvidos foram batizados com a melhor cera)
e o grande esforço da estrangeira que sua
que arrebenta as unhas no *glissando*
ninguém constatou ainda
é a cena
distraídas talvez olvidando o anacruse
as poltronas de cor indefinida se regozijam
pelo adiamento da deformidade
porque estão
vazias

SEM

algo de osso e de exílio
perfura a manhã dos destemidos
que recreiam-se com o fogo-fátuo
se riem da ameaça das imagens
e se empanturram de murmúrios

algo de inespecífico e raro
faz o sol variar entre hiperbólicas
e a chuva crer
e os ratos brotarem no minuto da súplica
numa algazarra incorrigível

algo de fenda e de artifício
confunde os grifos e seus ouros
surpreende a exclamação da entrevista
susta a astúcia armada no chute
e gargalha ágil

os lidos e os peritos depõem seus gestos
e desescrevem os títulos

à luz de algo
que se vê
aqui

CONCORDÂNCIA

eu com aquela pregação de infinitos
resto muda e abstraída
me valho de emendas

me descativo com seu sorriso
de relance entre lençóis
o desejo que vaza em suspiros

esse ritmo nosso entre
o delírio e o serenado
é cumprimento

eu com aquela pretensão de certamentes
sobrevenho vacilante e entregue
me sirvo de entressonhos

seu gosto de súbito entre madrugadas
a pressa que ressurge em roçares
trato nosso entre azáfama e remansos

eu começante e arrebatada
rendida à praxe dessa fome
nesta mercê de um presente
na minha mão transparente
o intraduzível
tem seu nome

SOLÚVEL

que mais se pode fazer
a tarde está pronta
a noite um pianíssimo
que protege todos nós errados
todos nós confinamentos

que mais se pode fazer
o líquido do copo um cianeto
do corpo o revolúvel ensejo
eu quero gritar
o vento ocupa o castelo
flores evadem-se dos cabelos
risca de sóis desorbitados

apontando pra mim
algo na fotografia
e o limo e a borrasca num conjuro
são surpreendidos em oficiosa farra
são mesmo os trilhos dissonantes
dessa ferrovia

trópicos interrompidos
a entrada dos metais é insossa
negociações definiram quais adagas
eu capricho num grito
da minha boca saem bequadros

recolho afazeres barrocos
e o que eu queria dizer hoje

verto um esquecimento que respira
vindico aquela omissão que ressuscita

do dia quase incorpóreo
em que nada
mais
dói

DORMESMO

à Marina Kazumi

dor mesmo nem tanto a incisiva
— surpresa da faca na pele —
intensa dor mas reversível
ferida que enfim cicatriza

dor mesmo é aquela miúda
dor sempre que não envelhece
lateja essa dor — a mais funda —
de um ontem que nunca se esquece

BILHETE

numa casinha junto almar
vivi com um náufrago
talvez um índio talvez um bárbaro
de qualquer forma gentio
que fundara
talvez a vila mais linda da costa

fizemos filhos e cumprimos luas
cavamos um poço e
estabelecemos a cerca
secamos a carne
plantamos dúzias de coisas verdosas
e macias e mais as sementes
fizemos a bebida forte de raízes
pras noites de conluio

vivi vida inteira olhando pra baía
e quando era cheia eu rezava
sem ter santo e nem medo
sem nunca ter ouvido falar em vaticínio
umas malvas agarradas ao chão brotaram
e chorei quando soube que a música no peito
era a palavra alegria

e os anos fecundaram a pele e a lembrança
e eu tive doença e cansaço e fiquei boa

e tive levas de crianças ao redor da casa
e providenciavam cadeiras
pra hora de tirar retrato daquilo tudo

acontecidos para encher diários
nunca nem pensados quanto mais escritos
as mãos tremeram quando me contaram
destes e de outros feitos
eu achei de fato bonito a maioria

olhando pela janela perto do fim da tarde
decidi que era a hora
saí andando pela praia
eu entrei no barco
não levei cesto nenhum
só a moeda
pra pagar a passagem

OLÉ

uma tesoura
sim, porque é instrumento de corte
abre a superfície
uma faca
sim, porque é ferramenta de incisão
força o desenho

esse silêncio
a saída pela lateral
esse descaso   esse escuro
essa intenção de aço
essa omissão
a sua entrada triunfal
é
uma segadeira uma talha
sim, é apetrecho de incisura
um arsenal a serviço do gume
do lanho   da poda
esse seu sorriso é isso
e por isso eu escorro eu talho
por isso eu coagulo e refluo
por isso empoço

guarda, seu moço,
que é o vermelho que invoca
a revelia do touro

DESERTO

estão mortos o leito o peixe o fluxo
morrem os azuis os verdes
imensidões de prata e ouros
e o bater de asas não é mais
espaço nem som

estão mortos os que dançavam
os que recriavam
tudo o que reunia
suas vozes são lama
são óbito são anos de término
seus dedos serão carícia nenhuma
só extravio do curso

estão mortos os conteúdos
a tartaruga é fóssil em cinco minutos
estão mortas amostras e semelhanças
ninguém mais quer ser semelhante a isso
e não há como conceber a imitação

boiam destroços
o ar tem cheiro do ágio
boiam pontos de interrogação
sua mão cínica gargalha
sua boca ácida determina
e o olhos vazando já nem divisam
o lixo da sua civilização

TULE

moça de enorme chapéu
comete danças estapafúrdias
sendo o menor desafio
inaugura a temporada do pasmo
e de algum meteoro
cobre os campos de tanto amarelo
que os gafanhotos regurgitam

diz frases enigmáticas
nem isso nem som
as frases se escondem
no branco ardoroso

são os grãos do silo
as palavras que se alcançam
são o esquecimento das figuras
que descem degraus na pressa
do inédito
e deixam um rastro de aragem

a lua assiste também a essa fita
e a tela é a mesma e imensa
os dedilhados nas cordas soam tão antigos
que os pássaros entendem
e migram sem nem engendrar o que são
longes

moça de luvas longuíssimas
é desperdício escavar a tristeza
na sua cantilena
que ela embala há milênios
todos os seus filhos de choros e esgares
revogados

no lento trânsito das sentenças
para consolo se encontra
uma orquídea que desistiu de acompanhar
a madrugada e sabe que
se estilhaçaria agora
se não repousasse

assim aqui não se traceja perguntas
que os passos da dança são um jorro
as falas são manjar e reeditam
o *script* que a vida assina

FIRMAMENTO

o espantadiço gosto da memória
cristal de confeitaria
adorno de *sèvres* longínquo
faz desfilar aqui não só os mortos
mas as tessituras abortadas no algo que têm
de farelos
de abstração
de incongruência

e o discurso é para ser longo e nítido
mas a tinta borra   hesita
ela mesma tem lapsos
e talvez falsifique as cenas em seu arredamento
de pávida lembrança
a chegar só
a pose permitida
no monóculo de plástico
que de repente se move e vozeia
se move e acomete embrenha-se invade
e os verbos que contariam o passado
são defectivos

os moldes das roupas têm demasiadas linhas
a sustar a precisão do corte
e não se tem o papel de seda a embalar o gosto
não se tem a conversa depois do almoço
nas tardes inativas

não se tem a ingênua mão que
surrupia um coringa
na partida que valia apenas passatempo
para evitar a despedida
para evitar o arremate
para evitar o silêncio
e todo o seu ouro
esquálido

CUMPRIMENTO

quando eu não tinha flores
brotaram essas palavras assustadiças
que eu quis trazer para você
incultas e líricas
que eu vim pronunciar como se
um beijo

quando eu não tinha certezas
rebentaram essas flores excêntricas
que eu quis entregar para você
inominadas e urgentes
que eu vim prestar como se
um salmo

quando eu não tinha palavras
gritaram essas certezas indivisas
que eu quero sancionar com você
cariciosas e ardentes
que eu vim declarar como se
um lírio

agora é o rasgo do que vigora
qual riso solto do anjo
no contratempo
da anunciação

ÁLBUM

como são enormes
as ossadas de animais no museu nacional
("Não se diz 'ossos'", advertiu a tia solteirona
formada em filosofia pura)

quando descobri o imenso livro de anatomia
de crustáceos e moluscos
sob impulso científico enclausurei
insetos nos vidrinhos de remédio
da bisavó

a bisavó chorava à toa, aliás,
e zanzava pela casa ralhando (em vêneto)
com fantasmas que a haviam
abandonado
bem ali

como são enormes
as lembranças
quando meu pai me perdeu no mar
quando minha mãe me perdeu na saída do cinema
deve ter durado trinta segundos
e até hoje

quando o carrilhão dá cinco

(que era a hora do bolinho de polvilho)
sento-me pro chá solitário
e folheio um atlas de imagens decorridas
que se debatem como insetos
e o gole tem um gosto desabitado e ermo
porque perdi o código
com que se argumenta
com os fantasmas

LANCES

dado que nos poreja
cumprir o poema
sagrar sua sorte
de verbo em chamas

dado que nos decanta
mover o poema
provar sua forma
de fusão de rochas

dado que é sem doutrina
jogo de emblemas
ondulação das cortinas
que tudo a voragem do início
e os sons feito fossem azes
estilando
o âmago desimpedido
    de um esplêndido
        algo

ESTREIA

um dia novíssimo
os latidos se arrastam
a mortalha braceja
num varal aluado
as palavras nada pesam
as flâmulas despenham
o desenho é o próprio compasso
que se aventura num fotolito de gesso
e alguém canta a incerteza de um cacto
ou deixa o banco de palhinha e se absurda
mas logo passa porque os mosquitos
e a rua continua ladeira e melisma
da voz sem cor o grito longo e ágil
como um torno
como o apito do sorveteiro
que atravessa o três por quatro
uma vida novíssima
as promessas se embrulham
e talvez cravem e talvez fundem-se
a pele o poço o olho
um enxurro
anjos aguardam em fila indiana
e evita-se falar em desperdício
a moça salta do ônibus
e mira o papelzinho onde anotou o número
do infinito

ÓBVIA

a flor é óbvia
o poema é obscuro
a flor é pura
o poema obsceno
a flor é livre
o poema é obsessivo
novíssima a flor
o poema é obsoleto
a flor pulsante
o poema obstinado

o poema é precariedade
finge
pretende

a flor é forma de flor
que o poema vê
intenta
namora
cogita
grita com uma voz parecida
mas que nunca chega a ser
voz de flor

INCISO

na irrevogável medida que impõe o silêncio
e o siso
enfrento a densa espera
e das janelas vazias
inauguro uma sobrevivência
em preto e branco

a mesma escuridão indormida
as mesmas frases devolutas
a mesma tentativa dum cinzel
que tomba em susto e avesso
na invenção de formas
que se indeferem

(gostava da tua cabeça embaralhada
das suntuosas histórias no meio do brinde
de te assistir descobrindo gestos
gostava do teu deslumbramento
perante a aurora do corpo
e do meu alheamento perante o resto

riacho flúmen vindos eu gostava
da maciez dividida e da adivinhada
de encostar metades e prever impudores
e tudo aquilo que não precisa de rima)

agora a constelação arrefecida
agora já não sonho linces
não cultivo augúrios
uma onda derradeira encobre a cena

as palavras certas
levantaram voo

MEUS OITO ANOS

<table>
<tr><td>AURORA</td><td>DA MINHA</td><td>VIDA</td></tr>
<tr><td>ORA</td><td></td><td>IDA</td></tr>
<tr><td></td><td></td><td></td></tr>
<tr><td>OS ANOS</td><td>TRAZEM</td><td>AIS</td></tr>
</table>

ATINÊNCIAS

I.

existem coisas que eu digo
no meio das coisas que escondo

vigoram silêncios imensos
no meio de certos estrondos

resistem horas inteiras
em meio a meio minuto

e dias e noites valendo
aquele real absurdo

e até o porto seguro
é de um remanso relativo

que um lance de dados insiste
no seio do absoluto

II.

eu que sempre sou
como eu nunca fui

como eu sempre quis
e sempre nada foi

como eu fosse assim
sempre sem querer

como nunca mais
desse pra saber

fui o que nem deu

assim sempre ser

feito eu fosse eu

DEIXA

papel largado na chuva
gesta do abandono
bússola indecisa
ludíbrio de mar morto
boiam arremedos
vênia embutida no escarro
manto roto
cervo aberrante
o que nem corre
galgo acorrentado
algo afônico

baço filosofema
de desprezível arrojo
como se das flores preço
e dança repetir passos
layout descuidoso da graça
mesura enunciando um coice
sustada agilidade de rio cheio
o que deu nisso
ceifa do broto
forja de um oco discurso
de um silabário de foice

INSONETO

De amor, ora direis, rever promessas
Que as chamas de uma voz não voltam mais
E sempre é de hora alguma esse momento
E nunca em face a mais meu bem secreto

Quisera revivê-lo em vão tormento
E em seu rosto esconder meu riso
Se se pudesse perder senso e siso
O meu pesar ao ver o seu espanto

Certo é que o infinito nunca dure
(Vai-se a primeira estrela descoberta)
Quem sabe a espuma o fim de quem desperta

Na fresca madrugada eu encontrasse
O amor (que tive) — eu vos direi, no entanto
Que só se ama a ilusão que nasce

TELA

meu avô macaco supersapiens
feito sobre duas pernas
incorporando maquinalidades
sem rabo nem nostalgia de galhos
é a identidade invocada
dos tantos mundos
seu corpo expandido e evolucionário
sinonimiza o complexo
das novas sinceridades

meu pai estrela de da vinci
ávido histórico de alterações
auto-organizado e simbionte
apto a manipular logicamente
micro e tele escopos
na justificativa dos sensos inaugura
seu próprio coração dispositivo e móvel
que fala a linguagem de amanhãs
apenas

meu primo rico com cérebro plástico
se distrai com ratos robotizados
por meios fluidos de liga-desliga
se compraz com o binário humanomáquina
sistemas nervosos
mãos artificiais descascando avatares

simulacros de fruto permitido
com o qual alimenta
eletricamente
seu frescor pós-biológico

e eu homúnculo semisapiens
morador da rua treze de maio
de realidade real
acordo em performance e durmo em ficção
com uma musiquinha de fundo o tempo todo
um tectectec nonono tectectec no   no   no
logia
busco a minha velha forma no espelho
mas ele me pede a senha da conversação
e é a novíssima ordem
comei e bebei o pão virtual
o vinho pós-humano
deste altar ázimo e hiperconsciente
ora *uploading*
a melhor água para aspergir
a cultura que nasce de um botão

ANTIGUIDADE

o que mais não
existe
?

a sombra a ilha
a lembrança

o pato de olho
esbugalhado
é o passado de
roma

este pato
que ora vejo

a presença na pedra
a estampa o mosaico

o desenho de um pato
na parede
que o tempo não lava
é um passado
que é o meu

o pato precário
escorço apenas

não voos
não som
afresco   risco
pato apenas
e pato absoluto

o que mais
existe
      ?

JIM SAID

a poesia é metal precioso é metal nobre
agarrado aos detalhes e ao insubmisso
enquanto se pratica alvoroços
que farão brotar o tema
eu fico aqui total e solidão na mesa vazia
e os pratos sujos não rimam

as transparências são perecíveis
o viajante tem vastas identidades
o que está consentido nos olhos
é larva e embargo e
do deus sem voz eu derivei silenciamentos

a poesia é o suco e o vértice
as fichas todas no único número
a boca pintada para o espetáculo
o alvo pintado sobre o peito
e ainda mais lá dentro
(quando te mira) é o corte da faca cega
o abraço e o visgo na regra do incerto
é metal pesado é barra pesada
é aquela voz que desliza
no que nunca fora
no que talvez esteja num será
mas que se espera
com sofreguidão
feito a primavera

ORÇAMENTO SEM COMPROMISSO

Compro ouro
Cobrem-se botões
Compro e vendo cabelo

X-calabresa
Porção e executivo
Piso escorregadio

Recuperamos seu crédito
Restauração de pivô
Tudo para noivas

Cortes unissex
Afiam-se tesouras
Três opções de carne

Piercing & *tattoo*
Ilhós e rebites
Chaveiro emergências

Foto em 1 min.
Serviços temporários
Impressão *express*

Dei minha mão pra cigana ler
E ela começou assim:
Víximaria!

SENTIDO E FIGURADO

notícias de longe falam em ressurreição
grande exercício de vésperas
e de mistérios primeiros
e agora é isso:
chuva a manhã inteira
gatos e seus grandes tédios
comida grudada na panela
e o telefone nunca toca
as contas se acumulam na escrivaninha
e os gestos velhos vão pro lixo
junto com a pilha de jornais nem lidos
e com as ideias nem tidas

notícias de sempre falam em grande alegria
e um dançar de muletas
e um roçar na covardia dos propósitos
homens e seus grandes edifícios
poeira incrustada no vidro junto
com as lembranças tão boas
e um pianinho frouxo sem melodia
e sem dedos mesmo
e a gente pensa na voz da estrela
e tenta esgarçar a fruta pra ver se ainda
e o sumo é insosso o caldo é esparso e a carícia
ah sobre a carícia que se subentenda
é algo
que esquecemos

BIOMBO

dezoito quadros
de papel de arroz
imaculados e indenes

menos um

alvo de desatenção

TÁTIL

nessa a mais bela história que é a nossa
em que tigres se emancipam em tecnicolor
em que as folhas confiscam a própria vertigem
essa uma de funduras e de atos loucos:
o acontecimento do que nada é nunca vão

e será sempre a mais nítida voragem
essa a nossa em que acordes se escancaram
em que as asas desatendem a fratura
essa de ventura no imenso do incorpóreo:
êxito pleno do que nunca é apenas são

e será sempre a mais primorosa simetria
essa a nossa em que garças brotam do escuro
em que muros assentes desfalecem
nessa urgência de um real que é insondável:
a melhor fortuna sacramenta o sempre tão

ESTÉTICA DA CENA

o que meu olho imagina
entre migalha e galáxia
é o deslumbramento daquilo que
inaugura adornos
e que ocupa a boca florescida um
sorriso

o que meu olho cogita
entre estilhaço e elipse
é o reconhecimento da voz
sempre pincel
uma dobradura e seus compassos
um refresco
e duas vozes são muitas
a partitura esculpida
entre a saliva e o sopro
aquele sem esforço da mão
que toca a fruta

é meu olhar que monta a cena
e o gosto
é meu olhar que usa a pele
para ler o espaço
e resultar o espaço
e converter o dia em pulso

é meu olhar que descobre a casca
e o aceno
e os nomes escorrem
molusco e infinito
o texto uma palafita

e o olho engendra
uma alforria que se funda
em ler-se em si o rascunho
do próprio olhar

RÉQUIEM PRA MINHA CIDADE

abaixo de zeros
o frasco rompe o olho trinca
e a dor se espalha e o pus entorna
a interrogação

o menino sem braço a mula sem cabeça
ali atrás da catedral mesozoica
ontem agora mesmo

a mulher sem cabeça o velho sem abraço
batendo ponto todo dia
na rua do mijo
macunaímas e a avozinha batendo palmas
e o cara que apodrece na contramão

o boto é que fez o filho coxo
não percam a próxima atração
a fome dos loucos é anunciada
no jornalzinho de colunas invisíveis
distribuído aos carros que param
quando param

o mesmo arfar de costelas visíveis
é a notícia de primeira página
a urgência de carne desossada
mole e imóvel
é sinfonia de moscas

a mesma fome de cães e lesmas
e dos muros sujos
dos vômitos e do nosso nojo
e dos corpos desempregados

vindo de lugar nenhum
um lobisomem biarticulado
desce no ponto final bem no centro
perto do entrevado paço
com seus canteiros escandíveis
não sei quem é nem como surge
nessa estrofe
se ele só sai no escuro

a noiada cantando noitefeliz
é natal naquele mesmo minuto

a guria de doze passa pedra
e compra a bolsa nova e linda
na riachuelo

o boitatá descasca uma mexerica
joga o alaranjado na calçada
pra entupir todos os bueiros da dr. muricy
e de onde mais for o inferno

a caipora zanza sobre as sálvias anãs
ao lado do chafariz que chora muito
espera a gangue e alimenta pombos
grita e é um hino da galera

que sabe de cor o estribilho
de lâminas e distúrbios

ali no final da xv
em qualquer calçada
é solidez das pedras catequizadas
é maciez de noite infinita

e o relógio de sol
no marco zero da cidade
não marca hora nenhuma
só lembra que é nunca mais
porque o cenário é só de
sombras

CORVO

quando eu vi que sangrava
pensei que fosse flecha facada bala perdida
mas era a chuva

quando eu vi que estilhaçava
pensei que fosse pedrada queda agudíssimo
mas era a lua

quando eu vi que ruía
pensei que fosse sismo vento tufão quem sabe
mas era saudade

era o fim da tarde
o fim da estrada
era o fim da história

quando eu vi que infeccionava
pensei que fosse erro médico azar sina
mas era a voz
aquela voz que é a tua
que nunca mais
dizia

DIAS

Era mentira que a dor envelhece
Eu quero ouvir as histórias antigas
E recompor os enredos que já conheço
(Meu avô subindo a rua assobiando:
é domingo)

Não quero histórias que mudam
Eu quero os personagens de sempre
As cenas antigas
As portas antigas
As noites antigas
As antigas mãos
("Vô, a vida é ruim?"
Risada)

E aquela certeza de que o mundo amanhã
Continua igual ao mundo aqui dentro
E eu pertenço ao dia
em que olho pra esta figura que também
me olha
e posso dizer:
prazer
em revê-la.

CICLORAMA

o infinito
daquela mulher
era um espelho
daquele animal
era um disparo
daquela menininha
era um coelho
daquele mendicante
era um retalho
daquele ancião
era um xarope
daquele temporal
era um compasso
daquele imperador
era um decálogo
daquele especialista
era um lapso
daquela meretriz
era um suspiro
daquele marinheiro
era um rito
daquele vendaval
era o abandono
daquela mulher
o infinito

TRIBUTO

na sina de tanta proeza
porta aberta
pelo menos fresta
água para minha sede expressa
ou a chave do cadeado
ou atendesse logo essa campainha

eu segurando anuários
enquanto você vai para creta
eu vendendo conjecturas
enquanto você some na multidão
eu doutrinando as efígies
enquanto você escorre

dê toda carta do maço
nenhuma sobra na manga
nenhum obséquio submerso
que não encrue esse clima
que desça a chuva esperada

que eu nunca fique sem rima

QUANDO O VERÃO VOLTAR

o que me disseram é que:
meus olhos não servem
o lugar é pequeno
a acústica foi comprometida pela
péssima arquitetura
e pela madeira que é só caruncho

o que não me disseram é que
as coisas alvorecem todas juntas:
os invertebrados em primeiro plano
as facas que bem descascam tubérculos
os pontos cardeais tranquilamente obsoletos
as garras que danificam a estampa da poltrona

e são singelas as promessas de paraíso:
do melhor gole do melhor café
da melhor tinta na melhor das telas
e você só perceberá isso
lá pela quinta prestação de muitas

tudo bem: o verão é um tipo de argumento
um godot quem sabe
uma invencionice da moda
e além desta pergunta eu posso fazer
mais o que?

DESENLACE

tentei escapar daquele areal por dentro
mas a palavra era oblívio
as mocinhas borbulhavam na saída do educandário
as ruas vertiam o embaraço do jogo
os óculos vazavam cantigas de roda
sobre os leões o equívoco
um arquivo morto com cenas de sorriso
um riacho multiplicado ao infinito

tentei escapar daquele terremoto por dentro
mas a palavra era limbo
os cadetes linchavam um judas de vidro
as praças sentiam falta da assimetria
os velhos sentiam uma falta velhíssima
as proprietárias abanavam-se
as marchinhas providenciavam sufrágios
um córrego amplificado sabotava a sede

tentei escapar daquele firmamento por dentro
mas a palavra era manto
os gatos lambiam a impureza da sintaxe
a sesta era a afeição ao abandono
a amarelinha era toda ciência de começos
eu encostei de leve no pudor do adorno
e vi que a peça era em si redemoinho
e a conclusão se faz sempre do intérmino

PISANDO NA GRAMA

empenho de discurso em grau zero
frase duma sintaxe desguarnecida
é culpa de algum perfume

eu procurando a mim
na palma de alguma mão encontro
o inominável feito um fósforo riscado

reflexo de galhos no vidro
seria uma ingenuidade
é uma torre de ferro

aqui é o imenso picadeiro
onde tudo grita
na perfeição dos serviços

aqui a isenção do olhar
nos olhos
a vida automotiva é sinfônica

é orvalho a sua voz
que ressurge
num anacronismo de toque

é inoperante a minha boca
na sina de falar admissíveis
como se explícito algo

SOBRE A AUTORA

LUCI COLLIN, poeta e ficcionista curitibana, tem dezesseis livros publicados, entre os quais *Querer falar* (poesia, 2014, finalista do Prêmio Oceanos), *Nossa Senhora D'Aqui* (romance, 2015) e, por esta editora, *A árvore todas* (contos, 2015). Participou de antologias nacionais (como *Geração 90 – os transgressores* e *25 mulheres que estão fazendo a literatura brasileira*) e internacionais (nos EUA, Alemanha, França, Uruguai, Argentina, Peru e México). Leciona Literaturas de Língua Inglesa na UFPR.

Poesia

ILUMINURAS

Alumbramentos
Maria Lucia Dal Farra

Ana flor da água da terra
Heloiza Abdalla

Ara
Ana Luísa Amaral

Casa Geraes
Rendrik F. Franco

Dois em um
Alice Ruiz S

Junco
Nuno Ramos

Este livro foi composto em *Chronicle* pela *Iluminuras* e terminou de ser impresso em 2020 nas oficinas da *Meta Solutions*, em Cotia, SP, em papel off-white 80 gramas.